Dirección editorial: Patricia López
Coordinación de la colección: Karen Coeman
Cuidado de la edición: Pilar Armida y Obsidiana Granados
Formación: Maru Lucero, Alejandra Basurto y Sara Miranda
Traducción: So-yon Yoo

Secretos para convertirse en científico

Título original en inglés: *The Scientific Secret to Become a Scientist*
(Series TONG 1238 – Science & Environment 02)

Texto D.R. © 2008, Sang-wook Yi
Ilustración D.R. © 2008, Woongjin Think Big Co., Ltd.

Editado por Ediciones Castillo por acuerdo con Woongjin Think Big Co., Ltd., Seúl, 110-810, Corea.

Primera edición: mayo de 2011
D.R. © 2011, Ediciones Castillo S.A. de C.V.
Insurgentes Sur 1886, Col. Florida,
Del. Álvaro Obregón,
C.P. 01030, México, D.F.

Ediciones Castillo forma parte
del Grupo Macmillan

www.grupomacmillan.com
www.edicionescastillo.com
infocastillo@grupomacmillan.com
Lada sin costo: 01 800 536 1777

Miembro de la Cámara Nacional
de la Industria Editorial Mexicana.
Registro núm. 3304

ISBN: 978-607-463-241-5

Impreso en China/*Printed in China*

Secretos
para convertirse
en científico

Texto de Sang-wook Yi
Ilustraciones de Joong-suk Kim
Traducción de So-yon Yoo

CASTILLO

MUNDO
MOSAICO

La ciencia es fascinante. Gracias a ella podemos explorar el Universo, aprender sobre los hábitos y el comportamiento de los animales y descubrir elementos que no sabíamos que existían.

¿Crees que es todo? Pues hay más. La ciencia también nos permite desarrollar medicinas y tratamientos para curar enfermedades y mejorar nuestra calidad de vida.

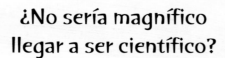

¿No sería magnífico
llegar a ser científico?

En este libro podrás acercarte y conocer a algunos de los más grandes científicos de la Historia. Ellos te revelarán sus secretos y la importancia de sus investigaciones. Así, quizá tú también logres ser un gran científico cuando crezcas.

Jane Goodall

"El secreto es observar con detenimiento."

Marie Curie

"El secreto es experimentar constantemente."

JaNE Goodall

"El secreto es observar con detenimiento."

Jane Goodall estudió el comportamiento de los chimpancés en la selva de África. Ella descubrió que, al igual que los seres humanos, estos animales sienten alegría y tristeza, y son capaces de resolver problemas utilizando su inteligencia.

¿Cómo habrá llegado Jane a esta conclusión?

Cuando Jane llegó por primera vez a la selva africana, no pudo investigar a los chimpancés como ella hubiera querido. Era difícil observarlos de cerca porque, cuando veían a un extraño, como Jane, los chimpancés huían a toda prisa.

Pero ella no se dio por vencida y continuó buscándolos. Si por casualidad encontraba alguno en el corazón de la selva, lo observaba a través de sus binoculares. Desde lejos alcanzaba a ver cada uno de sus movimientos, actitudes y gestos.

De esta manera pudo averiguar datos sumamente interesantes acerca de los chimpancés.

Descubrimientos de Jane sobre los chimpancés

◎ Son omnívoros. Comen frutos, flores, semillas, insectos y carne de los animales que cazan.

◎ Viven en comunidades.

◎ Tienen sentido de pertenencia y de familia. La mamá chimpancé cuida a sus crías hasta que cumplen cinco años; luego los hermanos se protegen entre sí.

◎ Expresan ternura y afecto mediante palmadas en la espalda y besos.

14

Con el tiempo, los chimpancés se familiarizaron con Jane, quien al fin pudo observarlos de cerca.

Un día, Jane vio que un chimpancé cortaba la rama de un árbol.

"¿Qué querrá hacer con esa rama?", se preguntó.

Llena de curiosidad, lo observó con mucha atención.

El chimpancé deshojó la rama y la introdujo en un agujero. Cuando la sacó, la rama estaba cubierta de termitas.

El chimpancé empezó a devorar con entusiasmo los insectos que se aferraban a la rama.

Jane quedó maravillada.

"¡El chimpancé está utilizando una herramienta!"

Jane hizo saber al mundo que los chimpancés son capaces de fabricar y utilizar sus propias herramientas.

La gente estaba muy impresionada, pues hasta entonces se creía que los humanos eran los únicos seres vivos capaces de elaborar herramientas. Sin embargo, lo más sorprendente fue saber que los chimpancés aman y cuidan a su familia.

Gracias a Jane, la gente entendió que los chimpancés son animales sensibles e inteligentes que necesitan cuidado y protección.

La observación atenta y constante permitió que Jane descubriera nuevos datos acerca de los chimpancés, los cuales ayudaron a cambiar la manera en que la gente los percibía.

Louis Pasteur

"El secreto es querer ayudar a la gente."

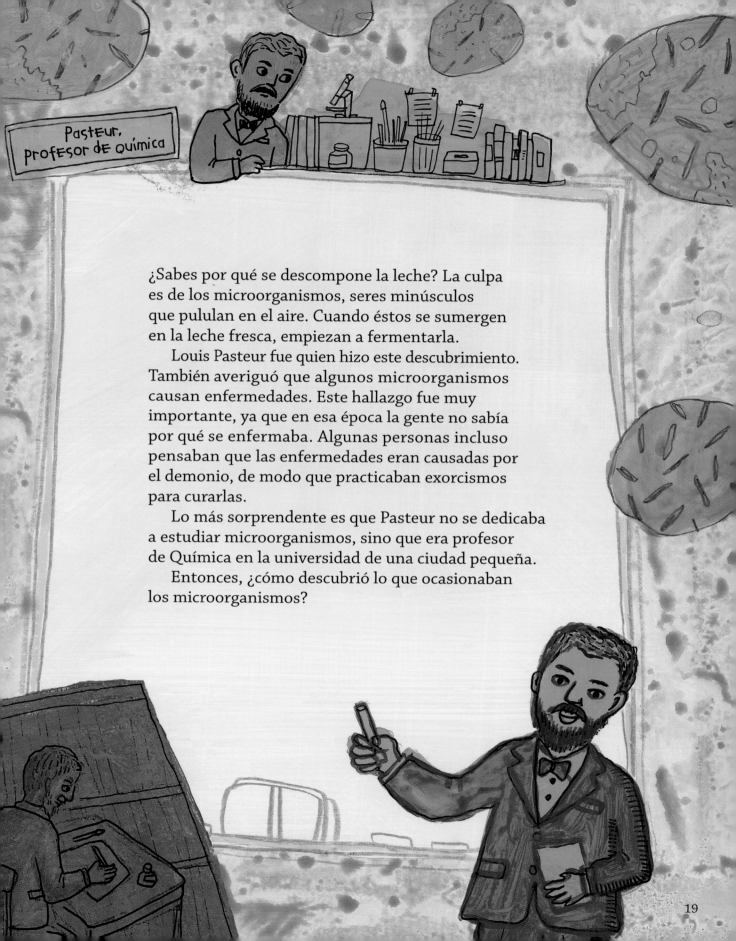

¿Sabes por qué se descompone la leche? La culpa es de los microorganismos, seres minúsculos que pululan en el aire. Cuando éstos se sumergen en la leche fresca, empiezan a fermentarla.

Louis Pasteur fue quien hizo este descubrimiento. También averiguó que algunos microorganismos causan enfermedades. Este hallazgo fue muy importante, ya que en esa época la gente no sabía por qué se enfermaba. Algunas personas incluso pensaban que las enfermedades eran causadas por el demonio, de modo que practicaban exorcismos para curarlas.

Lo más sorprendente es que Pasteur no se dedicaba a estudiar microorganismos, sino que era profesor de Química en la universidad de una ciudad pequeña.

Entonces, ¿cómo descubrió lo que ocasionaban los microorganismos?

Un día, el dueño de una destilería fue a visitar a Pasteur para pedirle ayuda.

Le contó que el jugo azucarado de la remolacha con el que hacía licor se fermentaba en lugar de convertirse en alcohol, y lo invitó a su fábrica para ver si él podía averiguar la razón.

Pasteur dudó en acompañarlo, ya que él tampoco sabía por qué la remolacha se fermentaba. Al final decidió ir a la destilería, pues creía que su deber como científico era ayudar a la gente.

Pasteur tomó una muestra del jugo fermentado de remolacha y lo observó bajo el microscopio. Le sorprendió encontrar pequeños organismos en ella. Pasteur pensó que éstos eran los causantes de la fermentación, así que puso unos pocos en el jugo de remolacha en buen estado. Éste empezó a descomponerse de inmediato. Así, Pasteur comprobó que estaba en lo correcto.

"Son tan pequeños que ni siquiera se distinguen a simple vista", dijo Pasteur, "iy, sin embargo, hacen grandes cosas!"

21

Los pequeños organismos que Pasteur observó eran levaduras y bacterias. Existen muchos tipos. Algunas convierten la leche en queso, mientras que otras descomponen la comida o provocan enfermedades.

Pasteur trabajó incesantemente para lograr que las bebidas y los alimentos no se fermentaran tan pronto. Esta investigación le ocasionó muchos dolores de cabeza.

Descubrimientos de Pasteur

● La pasteurización, un método que consiste en someter, por corto tiempo, un líquido a temperatura alta por debajo de su punto de ebullición, y luego enfriarlo rápidamente a fin de destruir los microorganismos que provocan la fermentación.

● Vacunas contra enfermedades como el ántrax y el cólera, las cuales ocasionaban la muerte de ganado y aves de corral. Las vacas y gallinas vacunadas no se enfermaban.

● La vacuna antirrábica, que evitó que las personas mordidas por un perro con rabia contrajeran dicha enfermedad.

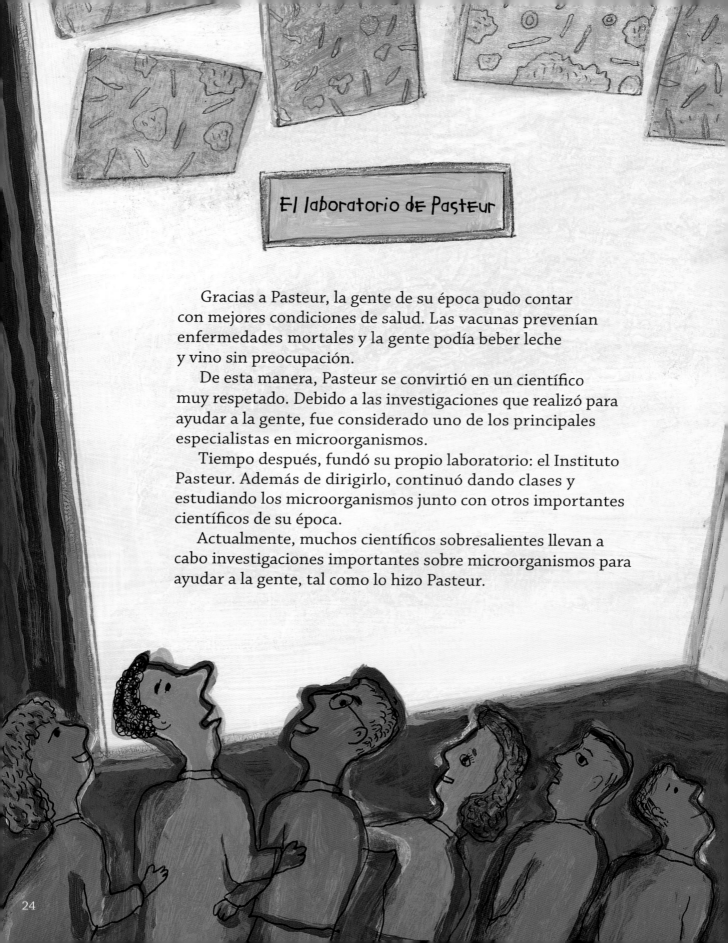

El laboratorio de Pasteur

Gracias a Pasteur, la gente de su época pudo contar con mejores condiciones de salud. Las vacunas prevenían enfermedades mortales y la gente podía beber leche y vino sin preocupación.

De esta manera, Pasteur se convirtió en un científico muy respetado. Debido a las investigaciones que realizó para ayudar a la gente, fue considerado uno de los principales especialistas en microorganismos.

Tiempo después, fundó su propio laboratorio: el Instituto Pasteur. Además de dirigirlo, continuó dando clases y estudiando los microorganismos junto con otros importantes científicos de su época.

Actualmente, muchos científicos sobresalientes llevan a cabo investigaciones importantes sobre microorganismos para ayudar a la gente, tal como lo hizo Pasteur.

퀴리 연구실

Marie Curie

"El secreto es experimentar constantemente."

En casi todos los hospitales hay un área de radioterapia, donde se trata a los enfermos con radiaciones. Curiosamente, en la entrada siempre hay una señal de peligro. ¿No es extraño que haya una señal como ésta en un lugar donde la gente va a curarse?

Lo que sucede es que, aunque la radiación ayuda a curar, puede ser muy peligrosa si no se usa de manera adecuada.

Hace apenas 100 años, la gente no sabía nada sobre estos rayos. Pero gracias a una gran científica, la gente supo que existía la radiactividad y que con ésta era posible curar a los enfermos de cáncer.

¿Y quién fue esa gran científica? Su nombre era Marie Curie.

Marie descubrió la radiactividad junto con su colega y esposo, Pierre Curie.

¿Cómo descubrieron la radiactividad? ¿Habrán leído muchos libros?

Un día, Marie leyó un artículo escrito por un científico llamado Henri Becquerel, quien descubrió que las sales de uranio irradiaban unos rayos extraños.

Como era muy curiosa, Marie decidió averiguar qué producía esos rayos misteriosos.

A través de sus experimentos, Marie descubrió que la radiación era proporcional a la cantidad de partículas de uranio que había en dichas sales.

Y entonces sucedió algo muy extraño…

El mineral llamado pecblenda o uranita emitía rayos mucho más intensos que cualquier otro mineral. Marie no comprendía por qué, pues la pecblenda no contenía tanto uranio como otros minerales.

Después de pensarlo detenidamente, Marie llegó a una conclusión:

"¡Lo tengo! Dentro de este mineral tiene que haber otros elementos que emiten radiaciones."

Marie y su esposo Pierre empezaron a realizar más
pruebas para encontrar los elementos que emitían
dichos rayos.

Primero, Marie separó de las rocas de pecblenda
los elementos que no emitían radiaciones y los desechó.
Luego pulverizó el resto del mineral y lo hirvió.

Después de hervir los restos de pecblenda o uranita, los dejó enfriar. Mientras esto sucedía, vio que se formaban cristales. Marie los separó e hizo algunas pruebas para determinar si eran nuevos elementos.

No era fácil descubrir nuevos elementos, pero ni Marie ni Pierre se dieron por vencidos y continuaron realizando muchos experimentos.

Finalmente, tras numerosos intentos, Marie y Pierre lograron su cometido. Entre los elementos que descubrieron había uno al que Marie llamó radio, el cual se empleó años después para tratar el cáncer.

Marie decidió mostrar los nuevos elementos que contenía la pecblenda, a los que llamó elementos radiactivos.

Con este descubrimiento, Marie y Pierre se hicieron muy famosos, y mucha gente visitaba su laboratorio para entrevistarlos.

LOS CURIE RECIBEN EL NOBEL

Muchos se sorprendieron al ver el laboratorio de los Curie, pues era muy viejo y parecía que estaba a punto de derrumbarse. Además, debido a los experimentos que Marie y Pierre realizaban en él, olía muy mal.

Pero esto no impidió que ambos recibieran el Premio Nobel por sus estudios sobre la radiactividad.

Marie fue la primera mujer en recibir el Nobel. Años más tarde, le fue otorgado un segundo Premio Nobel por descubrir dos nuevos elementos: el radio y el polonio.

Albert Einstein

"El secreto es no dejar de hacer preguntas."

¿Sabes quién fue el científico más famoso del siglo XX? Su nombre era Albert Einstein.

Einstein apareció como una estrella en el mundo de la ciencia cuando apenas tenía 26 años.

Con sus nuevas teorías —entre ellas, la teoría de la relatividad—, resolvió muchas dudas que inquietaban a los científicos de su época.

La gente pensaba que él podía aclarar muchas otras dudas porque era un genio. ¿Crees que sólo fue por eso?

Desde niño, a Einstein le fascinaban las Matemáticas, a diferencia de las otras materias de la escuela.

En Alemania, donde Einstein nació, los estudiantes debían memorizar fórmulas y problemas matemáticos. Pero Einstein creía que eso era inútil porque lo más importante era el proceso para llegar a una respuesta.

Oficina de Patentes

Por esa razón, cada vez que su profesor enseñaba alguna fórmula, el pequeño Einstein se preguntaba: "¿Cómo la habrán obtenido? ¿Será correcta?".

Para quitarse la duda, intentaba deducir el procedimiento hasta llegar al resultado final.

Einstein no sólo cultivó este hábito en la escuela, sino también cuando empezó a trabajar en una Oficina de Patentes tras haberse graduado. Einstein nunca dejó de hacerse preguntas ante cada hecho que presenciaba.

"Y eso, ¿por qué será?"

Einstein incluso puso en duda las teorías de otros científicos que creían estar en lo correcto.

En ese entonces, muchos hombres de ciencia aseguraban que el Universo estaba lleno de una sustancia llamada éter, y que la luz se propagaba a través de ella. Einstein rechazó esta teoría.

Tras varios estudios, Einstein reveló una verdad sorprendente: en el Universo no hay éter. Además, la luz está compuesta de pequeñas partículas de energía que se desplazan por sí solas a cierta velocidad. Einstein reunió estos datos en lo que llamó la teoría de la relatividad.

Gracias a esta teoría —y a sus incesantes preguntas— Einstein se convirtió en el científico más conocido del siglo XX.

"Lo más importante", solía decir Einstein, "es no dejar de hacer preguntas."

¿Cómo fue la vida de estos grandes científicos?

Louis Pasteur

1822
Nace en Dole, Francia.

1843-1847

Aunque le gusta mucho la pintura, estudia Química en la Escuela Normal Superior de París y se doctora en Ciencias.

1848-1856

Es profesor de Química en varias universidades. Comienza sus investigaciones sobre la fermentación.

Marie Curie

1867
Nace en Varsovia, Polonia.

1891-1895

Estudia Física y Matemáticas en la Universidad de la Sorbona en París. Conoce a Pierre Curie y se casa con él.

1903

Marie y Pierre Curie reciben el Premio Nobel de Física por sus investigaciones sobre la radiactividad.

Albert Einstein

1879
Nace en Ulm, Alemania.

1894-1896

Por problemas económicos, deja la escuela y se traslada a Italia con su familia. Luego viaja a Suiza para concluir sus estudios.

1902

Después de graduarse en la Universidad de Suiza, empieza a trabajar en la Oficina de Patentes en Berna, Suiza.

Jane Goodall

1934
Nace en Londres, Inglaterra.

1956

Viaja a África invitada por una amiga. Ahí conoce al reconocido antropólogo y paleontólogo Louis Leakey.

1960

El doctor Leakey le sugiere viajar a Tanzania para que estudie el comportamiento de los chimpancés.

1865

A partir de sus estudios sobre la fermentación, registra el método de pasteurización, que conserva en buen estado el vino y la leche.

1885

Desarrolla la vacuna contra la rabia y se convierte en el héroe de Francia por salvar muchas vidas.

1888

Inaugura y dirige el Instituto Pasteur que, hasta ahora, continúa su labor. Fallece en 1895.

1906

Pierre muere arrollado por un carruaje. Marie toma su lugar y da clases de Física en la Sorbona. Es la primera mujer que da clases en esa universidad.

1916

Durante la Primera Guerra Mundial, viaja con su hija Irene para atender a los heridos con un equipo portátil de rayos X, el *Petit Curie*.

1934

Gravemente enferma, al parecer a causa de la frecuente exposición a las radiaciones, fallece el 4 de julio.

1905

Completa, entre otras, la teoría de la relatividad especial y la equivalencia entre masa-energía.

1915-1919

Publica la teoría general de la relatividad. Un eclipse comprueba que su teoría es correcta.

1932

Deja Alemania para vivir en Estados Unidos, donde da clases y continúa sus investigaciones. Apoya el movimiento pacifista. Muere en 1955.

1965

Jane obtiene el doctorado en la Universidad de Cambridge por sus investigaciones sobre los chimpancés.

1991

Crea la organización Raíces y Brotes, la cual promueve el respeto hacia todos los seres vivos.

Actualmente dicta conferencias alrededor del mundo en una incansable campaña para proteger la naturaleza.

Y a ti, ¿qué ciencia te interesa?

La ciencia es el conjunto de conocimientos organizados de todo lo que nos rodea, los cuales han sido obtenidos mediante la observación, la reflexión y la experimentación. Para organizar tanta información, la ciencia se divide en diferentes ramas.

Geología

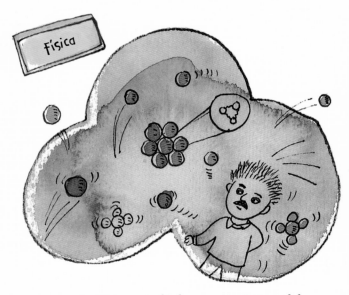

Física

Es la ciencia que estudia la Tierra, cómo se originó, qué cambios ha sufrido, qué elementos la conforman, etc. También estudia fenómenos naturales como huracanes, terremotos y volcanes en erupción.

La Física estudia las características del espacio, el tiempo, la materia y la energía, y cómo se relacionan entre ellos. Un físico puede preguntarse, por ejemplo, qué pasaría si dividieras algo en pequeños fragmentos y continuaras dividiéndolo en partículas más y más pequeñas.

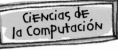

Ciencias de la Computación

Son las ciencias que estudian todo lo relacionado con el funcionamiento de las computadoras. Por ejemplo, qué hay que hacer para que una computadora pueda procesar información más rápido, o bien, qué cualidades debe tener una computadora para simular el pensamiento humano.

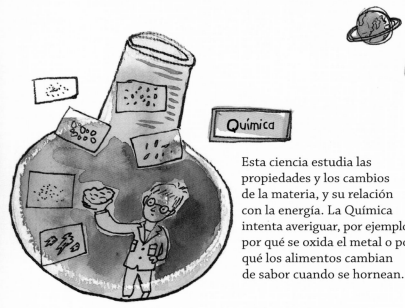

Química

Esta ciencia estudia las propiedades y los cambios de la materia, y su relación con la energía. La Química intenta averiguar, por ejemplo, por qué se oxida el metal o por qué los alimentos cambian de sabor cuando se hornean.

Astronomía

Es la ciencia que estudia los cuerpos celestes. Busca encontrar respuesta a interrogantes como ¿por qué brillan las estrellas?, ¿cómo se forman?, ¿de qué están hechas? Actualmente, esta ciencia también es conocida como Ciencia Espacial.

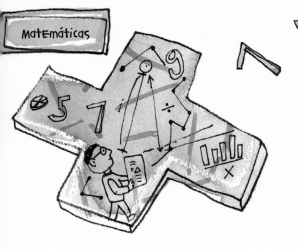
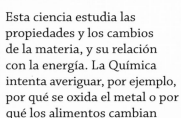

Matemáticas

Es la ciencia que estudia los números, los cuales nos ayudan a identificar cantidades, medir espacios, determinar ciclos e incluso a construir edificios. Gracias a las Matemáticas podemos saber de qué forma es un objeto y qué tan grande o pequeño es. Es la ciencia más antigua.

Biología

Estudia a los seres vivos individualmente o en conjunto. Un biólogo puede interesarse en averiguar el origen de alguna especie y su futuro probable. También puede preguntarse por qué algunos animales padecen una enfermedad y otros no, o por qué hay especies que prosperan en un ambiente determinado mientras que otras se extinguen.

Ecología

Esta ciencia estudia la interacción entre los seres vivos y su entorno. La palabra ecología —del griego *oikos* (casa) y *logos* (estudio)— significa literalmente " el estudio de los hogares", y estudia las relaciones de convivencia entre los miembros de un mismo "hogar" o ecosistema.

¿Los científicos tienen superpoderes?

Los científicos son personas realmente sorprendentes. Revelan la existencia de materiales desconocidos, desentrañan misterios del Universo —aunque nunca lo hayan visitado— y también elaboran medicinas que previenen y curan distintas enfermedades. Podría parecer que los científicos tienen superpoderes que les permiten hacer casi cualquier cosa.

En realidad, los científicos son gente común que se esfuerza constantemente y nunca se da por vencida, aunque su trabajo sea difícil. Los científicos de quienes hemos hablado —Jane Goodall, Marie Curie, Louis Pasteur y Albert Einstein— son excelentes ejemplos.

Si te gusta la ciencia, pero piensas que es demasiado difícil, recuerda los secretos de estos cuatro grandes científicos: observa con detenimiento, experimenta constantemente, no dejes de hacer preguntas y empéñate en ayudar a la gente.

¿Quién sabe? Si te esfuerzas, eres tenaz y sigues estos sabios consejos, tal vez algún día llegues a ser un gran científico y descubras cosas fascinantes.

Impreso en los talleres de
South China Printing Co.,
Daning administrative District,
Humen Town, Dong Guan, China.
Mayo de 2011.